这是我的书 It's MY BOOK 7级：400字

波西米亚裙子

作者：晓白（Xiao Bai）
插图：孔德晴（Deqing Kong）

北京语言大学出版社
BEIJING LANGUAGE AND CULTURE UNIVERSITY PRESS

PHOENIX TREE PUBLISHING INC.

识　读 好久　篮子　蝴蝶
金黄　刚　满

句　型 ……（快乐）地……

字　数 403 字

yǒu yì tiān mā ma dài zhe ān ān lù guò yì
有一天，妈妈带着安安路过一
jiā shāng diàn kàn dào shāng diàn li yǒu yì tiáo cháng cháng
家商店，看到商店里有一条长长
de wǔ yán liù sè de qún zi mā ma zài chuāng qián
的、五颜六色的裙子。妈妈在窗前
zhàn le hǎo jiǔ shuō à bō xī mǐ yà qún zi
站了好久，说：“啊，波希米亚裙子！”
mā ma yòu gāo yòu shòu chuān shang zhè tiáo qún zi yí
妈妈又高又瘦，穿上这条裙子一
dìng hěn hǎo kàn kě shì mā ma méi shě de mǎi
定很好看，可是妈妈没舍得买。

ān ān xīn xiǎng wǒ yí dìng yào qīn shǒu wèi
安安心想：我一定要亲手为
mā ma zuò yì tiáo zhè yàng de qún zi
妈妈做一条这样的裙子！

dì èr tiān yí dà zǎo ān ān jiù tí zhe
第二天一大早，安安就提着
yí gè xiǎo lán zi lái dào le xiǎo shù lín xiàn zài
一个小篮子来到了小树林。现在
zhèng shì qiū tiān shù lín huàn xia le xià rì de shèng
正是秋天，树林换下了夏日的盛
zhuāng luò yè zài lín jiān fēi wǔ xiàng yì qún kuài
装，落叶在林间飞舞，像一群快
lè de hú dié
乐的蝴蝶。

bù yí huìr ān ān de lán zi li jiù
不一会儿，安安的篮子里就
zhuāng mǎn le wǔ yán liù sè de shù yè ān ān
装满了五颜六色的树叶。安安
bǎ shù yè xià miàn de gǎn zi jiǎn diào rán hòu yòng
把树叶下面的杆子剪掉，然后用
zhǐ jīn bǎ yè zi de liǎng miàn dōu cā gān jìng yè
纸巾把叶子的两面都擦干净。叶
zi biàn de xiàng bù yí yàng ruǎn yán sè yě shí fēn
子变得像布一样软，颜色也十分
xiān yàn
鲜艳。

ān ān xiān yòng bǐ zài bù shang huà chu qún zi
安安先用笔在布上画出裙子
de yàng zi rán hòu xiǎo xīn de zài yè zi bèi miàn
的样子，然后小心地在叶子背面
tú shang jiāo shuǐ rèn zhēn de bǎ tā men tiē zài bù
涂上胶水，认真地把它们贴在布
shang tiē le yì quān yòu yì quān
上，贴了一圈又一圈。

tài yáng kuài yào luò shān de shí hou qún zi
太阳快要落山的时候，裙子
zhōng yú zuò hǎo le jīn huáng sè de yáng guāng zhào zài
终于做好了。金黄色的阳光照在
gāng gāng zuò hǎo de qún zi shang qún zi shǎn zhe wǔ
刚刚做好的裙子上，裙子闪着五
yán liù sè de guāng
颜六色的光。

mā ma shēng rì zhè tiān ān ān sòng gěi mā ma
妈妈生日这天，安安送给妈妈
yí gè jīng měi de hé zi mā ma dǎ kāi yí kàn
一个精美的盒子。妈妈打开一看，
shì yì tiáo shù yè zuò de bō xī mǐ yà qún zi mā
是一条树叶做的波西米亚裙子！妈
ma bǎ ān ān lǒu zài huái li gǎn dòng de shuō zhè
妈把安安搂在怀里，感动地说：“这
shì wǒ shōu dào de zuì hǎo de shēng rì lǐ wù
是我收到的最好的生日礼物！”

mā ma chuān zhe zhè tiáo piào liang de qún zi zhuàn
妈妈穿着这条漂亮的裙子转

le yì quān qún zi wǔ dòng qi lai wǔ yán liù sè
了一圈，裙子舞动起来，五颜六色

de shù yè yě gēn zhe kuài lè de tiào dòng qi lai
的树叶也跟着快乐地跳动起来……

1 有一天，妈妈带着安安路过一家商店，看到商店里有一条长长的、五颜六色的裙子。妈妈在窗前站了好久，说：“啊，波希米亚裙子！”妈妈又高又瘦，穿上这条裙子一定很好看，可是妈妈没舍得买。

2 安安心想：我一定要亲手为妈妈做一条这样的裙子！第二天一大早，安安就提着一个小篮子来到了小树林。现在正是秋天，树林换下了夏日的盛装，落叶在林间飞舞，像一群快乐的蝴蝶。

3 不一会儿，安安的篮子里就装满了五颜六色的树叶。安安把树叶下面的杆子剪掉，然后用纸巾把叶子的两面都擦干净。叶子变得像布一样软，颜色也十分鲜艳。

4 安安先用笔在布上画出裙子的样子，然后小心地在叶子背面涂上胶水，认真地把它们贴在布上，贴了一圈又一圈。

5 太阳快要落山的时候，裙子终于做好了。金黄色的阳光照在刚刚做好的裙子上，裙子闪着五颜六色的光。

6 妈妈生日这天，安安送给妈妈一个精美的盒子。妈妈打开一看，是一条树叶做的波西米亚裙子！妈妈把安安搂在怀里，感动地说：“这是我收到的最好的生日礼物！”

7 妈妈穿着这条漂亮的裙子转了一圈，裙子舞动起来，五颜六色的树叶也跟着快乐地跳动起来……

1
2
3
4
5
6
7
看图讲故事